Rhyw Deid yn Dod Miwn

Rhyw Deid yn Dod Miwn

Barddoniaeth gan Iwan Llwyd
Delweddau gan Aled Rhys Hughes

Y môr yn ei dymhorau – ar y graig,
a'r gragen, fel minnau,
yn y dŵr ffyrnig rhwng dau,
rhwng dŵr a'r eangderau.

gomer

Gwnaethpwyd creu geiriau'r gyfrol hon yn bosib drwy gyfrwng ysgoloriaeth gan yr Academi. Can diolch iddynt. Rwyf yn ddyledus hefyd i gyfrolau fel *Hen Benillion*, T. H. Parry-Williams, *Pedeir Keinc y Mabinogi*, Ifor Williams, *Culhwch ac Olwen*, Idris Foster, *Siwan a cherddi eraill*, Saunders Lewis a nifer o gyhoeddiadau eraill. Ymddangosodd rhai o'r cerddi mewn cyfrolau a gyhoeddwyd eisoes gan Wasg Taf. Cefais groeso a chymorth gan nifer o ffrindiau wrth grwydro'r arfordir, yn arbennig Robert Minhinnick ym Mhorthcawl a Nigel Jenkins yn y Mwmbwls. Mae nifer o'r cerddi wedi deillio o gyfnodau o waith gydag Amgueddfa Genedlaethol Cymru; diolch i Ken Brassil a Sean Harris am eu cwmniaeth yn ystod y cyfnodau hynny. Yn fwy na dim, diolch i Bethan Mair ac Aled am eu gofal a'u cyngor ar y daith. **Iwan Llwyd, Mehefin 2008**

Gwnaethpwyd creu delweddau'r gyfrol hon yn bosib drwy gyfrwng nawdd gan Gyngor Llyfrau Cymru. Diolch yn fawr am y cyfle. Diolch hefyd i Iwan, wrth gwrs: hebddo ef ni fyddai gennym gyfrol. Hoffwn ddiolch yn ogystal i ffrindiau a chymwynaswyr a hwylusodd y gwaith: i Elwyn a Bethan Jones, Caechwarel am gartre oddi cartre ym Môn; i'm cydweithwyr yng Ngholeg Pen-y-bont am eu cefnogaeth – yn arbennig Paul Cabuts, David Lewis a Bee Holmes; i Nigel Churchouse am drwsio'r hen gamera pren, ymhlith cymwynasau eraill; i Peter Finnemore am ei holl eiriau doeth; i Sion Ilar am y gwaith dylunio penigamp. Ond yn fwy na neb, diolch i Bethan Mair. **Aled Rhys Hughes, Mehefin 2008**

Cyhoeddwyd yn 2008 gan Wasg Gomer, Llandysul, Ceredigion, SA44 4JL · ISBN 978 1 84323 777 8 · Ⓟ y delweddau: Aled Rhys Hughes; Ⓟ y cerddi: Iwan Llwyd · Mae Aled Rhys Hughes ac Iwan Llwyd wedi datgan eu hawl dan Ddeddf Hawlfreintiau, Dyluniadau a Phatentau 1988 i gael eu cydnabod fel awduron y llyfr hwn · Cedwir pob hawl. Ni chaniateir atgynhyrchu unrhyw ran o'r cyhoeddiad hwn, na'i gadw mewn cyfundrefn adferadwy, na'i drosglwyddo mewn unrhyw ddull na thrwy unrhyw gyfrwng, electronig, electrostatig, tâp magnetig, mecanyddol, ffotogopïo, recordio, nac fel arall, heb ganiatâd ymlaen llaw gan y cyhoeddwr · Dymuna'r cyhoeddwr gydnabod cymorth Cyngor Llyfrau Cymru · Argraffwyd a rhwymwyd yng Nghymru gan Wasg Gomer, Llandysul, Ceredigion.

I dylwyth Môn a Cheredigion (Iwan)

I Dad, am roi camera a ffordd o weld i mi (Aled)

Cyflwyniad

Oherwydd gormes a dylanwad ein cymydog mawr dros Glawdd Offa, fe fu yna duedd er yn gynnar iawn yn ein hanes i'r Cymry droi tua'r dwyrain am fasnach ac addysg a bywoliaeth. Roedd yn rhaid i Bryderi a Manawydan hyd yn oed fynd 'parth a Lloygyr' i ymarfer eu crefft. Ac efallai bod rheswm da am hynny ar y pryd gan mai o gyfeiriad y môr y deuai'r Gwyddelod a'r Llychlynwyr i ysbeilio'r eglwysi a'r mynachlogydd cynnar. Roedd y mynyddoedd yn cynnig lloches a diogelwch, a chynhaliaeth i feirdd a gwrthryfelwyr.

Ond bach yw'r bwlch rhwng y mynydd a'r môr yng Nghymru, ac mae llawer o gyfoeth ein hanes a'n diwylliant yn ddyledus i awelon y gorllewin. Môr Iwerddon oedd priffordd y Cymry pan oedd y berfeddwlad yn anodd ei thramwyo. Yn dorchau a thlysau Celtaidd, yn saint a'u cenadwri, yn dywysogion yn dychwelyd, y môr a'u cludodd nhw yma i gyd. Ac yn ddiweddarach yn ein hanes, pan oedd Porthmadog a Phwllheli, Aberporth ac Aberteifi yn ferw o sŵn llongau'n cael eu hadeiladu, yn barod i gludo nwyddau a theithwyr i bedwar ban byd, tua'r gorllewin yr edrychem. Roedd llwyddiant y diwydiannau glo a llechi yn ddibynnol ar allforion, a chododd porthladdoedd dirifedi ar hyd ein harfordir. Yn eu tro deuai'r morwyr â'u caneuon a'u hanesion adre i gyfoethogi'n hiaith a'n diwylliant.

Mae llawer o ddiwydiannau trymion Cymru, yn bwerdai a ffatrïoedd hyd heddiw yn ddibynnol ar rym ac egni'r môr, a'n trefi a'n poblogaeth o'r herwydd yn tueddu i lynu at yr arfordir. Ac er dyfodiad y trên stêm ac yn ddiweddarach y priffyrdd a'r traffyrdd, tua'r gorllewin y mae'r tyrfaoedd yn heidio'n pan ddaw'r haf. O Benrhyn Cilgwri i Aber Hafren mae'r môr yn ein gwaed ni erioed.

Iwan Llwyd

Rhwng dwy bont

Dim ond glan afon ac aber,
brwyn a llaid a llanw blêr:

a rhuo'r ceir di-baid uwchlaw,
a hanner golau'r gwlithlaw:

a chadwyni'u hegni hwy
yn nadu'r don ofnadwy

rhag torri'r llinyn bogail tyn
sy' rhyngom â'r hen elyn.

Medi 2006

Mwyalchen Cilgwri

Kerdet a orugant hyt at Vwyalch Gilgwri. Gouyn a oruc
Gwrhyr idi, 'Yr Duw, a wydost ti dim y wrth Uabon uab
Modron, a ducpwyt yn teir nossic ody rwng y vam a'r
paret?' Y Uwyalch a dywawt, 'Pan deuthum i yma gyntaf,
eingon gof a oed yma, a minneu ederyn ieuanc oedwn.
Nu wnaethpwyt gwëith arnei, namyn tra uu uyg geluin
arnei bob ucher. Hediw nyt oes kymmeint kneuen ohonei
heb dreulaw. Dial Duw arnaf o chigleu i dim y wrth y gwr
a ovynnoch chwi. Peth yssyd iawn, hagen, a dylyet imi y
wneuthur y gennadeu Arthur, mi a'e gwnaf. Kenedlaeth
vileit yssyd gynt rithwys Duw no mi. Mi af yn gyuarwydd
ragoch yno.'

Culhwch ac Olwen

Cilgwri
(…that's Wales over there…)

Y tu hwnt i'r gors mae Cymru
yn codi'n gadeiriol o'r dŵr,
a Dyfrdwy'n y bwlch yn cuddio,
yn westai hael a di-stŵr,
a'r brwyn a'r moresg yn perarogli
wrth hawlio'n ôl beth o win yr heli.

Mae gwylanod a gweilch yn esgyn
o'r pyllau'n y gwlyptir maith,
a sgerbydau hen longau yn ysu
am ddilyn gweddill y daith,
a rhywle'n y lle mae mwyalchen heno
ar eingion y gof yn dal i guro.

Dwy Daith

Lle gwyllt, diarffordd oedd Cymru yn nyddiau Owain Glyndŵr – wel i ymwelwyr beth bynnag. Ond er mor anodd a garw oedd y tirwedd, roedd pobol yn teithio am nifer o wahanol resymau: porthmyn yn gyrru defaid a gwartheg; beirdd yn ymweld â thai noddwyr; milwyr a swyddogion yn casglu trethi a chadw trefn; myneich ac offeiriaid yn gwerthu creiriau a gwrando cyffes. Ond gwahanol iawn fyddai map swyddog o Sais a bardd o Gymro. Byddai'r swyddog o Sais yn cadw at y bwrdeistrefi ac at lwybrau'r arfordir lle'r oedd cestyll Edward yn gadwyn ddi-fwlch. Roedd y bardd ar y llaw arall yn nabod llwybrau a bylchau'r berfeddwlad fel cefn ei law. Gwyddai Glyndŵr am y ddau fap, ond dim ond un ohonyn nhw a fyddai o ddefnydd iddo fo.

('Cuzco was capital of a mountain world, and the Incas looked to the mountains; clung to the navel where their ancestors had planted the golden rod. The Spanish outsiders had their eyes on a wider world, they needed a port to ship out the silver and gold they had extracted from the veins of Peru... That was why Lima was created.' Conquistadors, *Michael Wood)*

Yn foliog deuai'r swyddog o Sais
ar siwrne i'r wlad anghwrtais,
a fynnai siarad yr iaith wirion 'na
bob tro y troai ei gefn:

glynai'n dynn yn y glannau,
Rhuddlan, Conwy a Biwmares;
cadw'n ddigon pell oddi wrth y clogwyni tywyll,
tir yr herwyr a'u gwragedd gorffwyll,

yr anwariaid troednoeth a ffermiai'r ucheldir
a'r dyffrynnoedd bach cul, lle'r oedd ceirw hir
a chrehyrod yn potsian yr afonydd:
arhosai cyhyd ag oedd rhaid, cyn hwylio'n

ddiamynedd yn ôl i lys cyfforddus Caer,
yn ddigon pell o'r cestyll tywyll
a'r bwyd gwael, gan adael gweinidog
llwgr ar ei ôl i gasglu'r llog.

Roedd golau ym mhen draw pob cwm
i'r bardd, a'r llwybrau'n batrwm:
roedd ei fap ar gefn ei law ac yn ei gynghanedd,
a de a gogledd cyn agosed

â'r odlau a glymai ei linellau,
a chodiad a machlud haul yn pontio'r afonydd:
nid gwlad o furiau a chaerau, ond gwladoedd
o gaeau'n enwau cyfarwydd,

a thai a'u drysau'n agored drwy'r dydd:
o Faelienydd i Elfael i Fuellt,
a hanes pob teulu'n goleuo'r conglau tywyll:
ni ddeuai ar draws y swyddog boliog ar ei siwrne;

ni fyddai eu llwybrau'n croesi,
ond fe wyddai na fyddai'n llwgu
o dan y sêr ar noson ddu:
a byrddau Cochwillan yn drwm dan geirw hirion a chrehyrod.

Y Rhyl

Mae'r colomennod wedi'i cholli hi
a'r boi *Big Issue'n* bell heibio i oed ymddeol;
mae 'na faes parcio enfawr rhwng y môr â mi,
ac wrth i dderwydd y Bingo alw ei bobol
mae 'na olwg 'di hario ar y peiriannau pres,
ac mae hud Marîn Lêc wedi rhydu;
mae traethau'r terfyn yn erfyn am wres
cyn i'r arian i gyd gael ei sbydu:
ond eto yn rhywle mae eco hen don
a dynion yn eu hetiau dal cusan,
a'r ffair yn dal ati i bwyso ar ei ffon;
mae 'na haul ym mudreddi yr wylan,
fe fydd y dre' yma er i'r llanw droi,
â rhyw falchder tlawd, a'i ffawd wedi ffoi.

Taith adre

Rhaid mynd i ffwrdd i ddeall cyfrinach
y golau sy'n treiglo'n garedig drwy'r glaw,
y lle sy'n dal ei afael yn gryfach

na mam a'i phlentyn ystyfnig mewn llaw:
dacw amlinell bell y mynyddoedd
y tu hwnt i Brestatyn a'r Rhyl a Phensarn,

a hyd yn oed y carafannau'n fyddinoedd
yn fy nghroesawu i adre'n un darn;
Pen y Gogarth fel esgid o'r gwagle

ac Ynys Môn fel goleudy'n y gwyll
ac ym mhen pella'r Fenai yn rhywle
mae'r enwau fel bwledi o ddryll

yn agor clwyfau yn fy nghalon i
ac eto'n llawn o esmwythâd y lli.

Ebrill 2001

Y Casglwyr Cocos

A'r haf ar dywod Lafan – i'r llonydd
      pan â'r llanw allan,
    daw'r rhain, a'r dŵr ei hunan
    a wêl eu hôl ger y lan:

eu gweled â llygad gwylan – yn troi
      gyda'r trai diamcan;
    mae mwy i hynt y cerrynt mân
    na gored aur ac arian:

a'r byd rhagor yn agored – i fôr
      yn diferu dyled,
    y rhai diangor a red
    eilwaith ar greigiau caled:

un fwced galed yw'r gwaith – a'r dŵr hallt
      yw rhwyd eu hanobaith;
    i dwll oer y tywod llaith
    â haul eu tymor eilwaith:

eilwaith mae'r llanw'n ceulo – a'r gorwel
      didrugaredd eto
    a wêl, a hi'n noswylio,
    eu hôl hwy ar ei wely o:

a'u hôl rhwng swnt a dwylan – yn cilio,
      dacw wely llydan
    o wymon mud mewn un man
    a haf ar dywod Lafan.

Hydref 2005

Y Derwyddon

Roedd glannau Ynys Môn yn dew gan amddiffynwyr; yn un trwch arfog. Roedd hyn yn olygfa gyfarwydd i'r Rhufeiniaid; dyma lu'r gelyn, ac roedden nhw wedi eu hyfforddi i'w hymladd. Yr hyn nad oedden nhw'n barod amdano oedd y merched ... roedden nhw fel cythreuliaid duon, a'r hyn wnaeth ddychryn y milwyr oedd yr olwg arallfydol arnyn nhw. Roedden nhw'n sgrechian yn uffernol, yn cario ffaglau tanllyd, wrth iddyn nhw redeg i mewn ag allan trwy'r milwyr mewn dawns orffwyll. Roedd y gwragedd hirwalltog yn un elfen a wnâi'r olygfa yn fwy nag un milwrol.

Yr elfen arall oedd y derwyddon. Yn sefyll yn llonydd gyda'u dwylo yn estyn tua'r nefoedd, safodd y Rhufeiniaid yn stond yn wyneb melltithion ofnadwy'r derwyddon. Am eiliad roedd y milwyr Rhufeinig yn gwbwl llonydd a diamddiffyn rhwng y cychod a thraethau Môn. Ond fe lwyddon nhw i ddeffro o'u perlewyg. Ni ddaeth y duwiau i achub y derwyddon, ac fe'u lladdwyd yn y fan a'r lle. Llosgwyd y merched a'u ffaglau eu hunain, a gorchmynnodd Suetonius Paulinus y milwyr i ddifa coedlannau derw'r derwyddon, rhag i'w credo godi eto ...

Tacitus

Llyn Cerrig Bach

Â chysgod tair awyren ar y llyn
a'r rhedyn oren heddiw'n ffaglau tân,
mae mwy na dŵr i'w weld o ben y bryn,
mae creiriau'n gorwedd dan y graean mân:
pen gwaywffon a llafn un cleddyf aeth
i berfedd rhyw Rufeiniad, tarian goeth,
a darn o gyfrwy ceffyl a phig saeth,
hen gelfyddydau ein cyndeidiau noeth:
mae'r dŵr yn llonydd, ac mae pennau'r brwyn
fel gwallt y gwragedd a fu'n herio'r llu
a ddaeth i lannau'r Fenai er mwyn dwyn
cyfaredd rhyfedd y derwyddon fu
un waith yn gogoneddu'r mannau hyn
cyn bod cysgodion angau yn y llyn.

Medi 2007

Ceffylau Gwynion

Y Fenai ar drai yn drist
o bert, ond heb ei hartist,
a lliwiau duon Ionawr

yn hylltod llwyd hyd y llawr:
mae'r nos am ein Cymru ni
a'r haf yng nghytiau'r trefi,

ond eto, â'r byd yn datod,
mae'r ddaear feiddgar i fod
i roi gwlad i gariadon:

er trai rhwng Menai a Môn,
heb unrhyw olau ar benrhyn,
daw llanw dau ar garnau gwyn.

Mawrth 2003

Haul a glaw. Y Fenai'n dawel – a hwyl
    fawr hyll ar y gorwel,
    hwyl y nos ola'n ein hel
    ar afon tua'r rhyfel.

Och i'r môr am fod yn erwin,
och i'r tonnau am daflu cymin,
och i'r gog na ddôi i ganu
ar fryn teg wrth ben Ballawndy.

Hen bennill

Llanddona

Ar fore o Ionawr a'i farrug
yn gorwedd yn slei ar yr allt,
cyrhaeddais fan tu hwnt i'r Fenai
a llwydrew y Bwclai'n fy ngwallt:

rhyw lan sy'n disgyn tragywydd
rhwng Corn Ŷd a Chorn Ŷd Bach,
lle mae llygaid y rhos yn diferu
a'r gylfinir yn canu'n iach:

rhyw draeth lle mae'r cregyn yn crynu
a'r rhew fel dannedd y cŵn,
a phopeth gwerth chweil ar i fyny,
lle mai synnu yw cadw sŵn:

rhyw fan lle mae'r gorwel yn angor,
rhyw gulfor yng ngolwg y lli,
rhyw ffenast rhwng y mast a'r môr
lle gwelaf fy Nghymru i.

Lladron Crigyll

'Yn ogystal â physgota, roedd y glannau hyn hefyd
yn enwog am eu lladron a'u môrladron. Yn ôl y sôn
byddai'r lladron a'r smyglwyr yn clymu lanterni i
gyrn y gwartheg fel bod llongau allan yn y bae yn eu
camgymryd am oleuadau llongau eraill ac yn hwylio
tua'r lan cyn dod i drybini ar y creigiau mewn baeau
bach fel Porth Trecastell a Phorth Nobla. Yr enwocaf
o'r lladron hyn oedd Lladron Crigyll, a fyddai'n dwyn o
longau yn ardal Rhosneigr. Canodd Lewis Morris faled i'r
lladron hyn, ac fel swyddog da, roedd o'n dymuno gweld
crogi'r lladron:

> Pentref yw di-dduw, di-dda,
> Lle'r eillia llawer ellyll,
> Môr-ysbeilwyr, trinwyr trais,
> A'u mantais dan eu mentyll;
> Cadwed Duw bob calon frau
> Rhag mynd i greigiau Grigyll.

Cafodd tri o'r lladron eu dal a'u rhoi ar brawf yng
ngharchar Biwmares ym 1715, a'u canfod yn euog o
ddwyn o'r llong *The Charming Jenny* a oedd wedi cael
ei dal ar lan afon Crigyll. Roedd disgwyl i'r tri gael eu
crogi, ond roedd y barnwr mor feddw, fe'u rhyddhaodd!
Mae sôn hefyd bod cwch smyglwyr dan yr enw *Fox*
wedi bod yn gweithio'r glannau hyn yn ystod canol y
ddeunawfed ganrif, gan lanio tybaco, brandi, gwinoedd,
te a jin Geneva ar y traethau a'u gwerthu i'r trigolion
lleol.'

Trafodion Hanes Môn

Ynyswyr

Ynyswyr, a'u cymylau'n isel,
a'r gwynt a'r glaw ar eu gwarrau'n chwipio:
creithiau eu hin a'u hanes
ar groen hallt gwerin y môr:

ac er yr haf a'r llanw ymwelwyr
yn torri'n swnllyd ar draethau Rhosneigr,
eu hacenion estron
a'u harian parod yn marchnata'r haul:

ac er y gaeaf
a'r tonnau'n hollti creigiau Cybi,
a môr Iwerddon
eto'n mynnu ei deyrnged ddiamod:

er holl wamalrwydd y tymhorau,
erys yr ynyswyr a'u llonyddwch rhyfedd,
yn troedio llwybrau'r tir gwyn,
yn amaethu'r caeau caled:

yn aros yn agos i'r gorwel,
ac eto'n cofleidio'r cyfan
mor naturiol â thon
ar draeth.

Olion

(Mynydd Parys a Borthwen)

Hen arwydd *Winder* a *Capstan*
yn bachu'r haul yn y bore bach,
a'r rhwd ar sgerbydau'r ceir
yn lliwio'r gweddillion:

fedrwn ni ddim gadael llonydd i'r amgylchedd,
dydi o ddim yn ein natur ni
i'w barchu a'i warchod:
'dan ni'n barod iawn i dirlunio'n delfrydau,

eu fframio'n ddel ar furiau swbwrbia,
eu cyflwyno'n annwyl i gyfeillion,
eu paentio'n ofalus a thyner:
y bryniau glas a'r tonnau,

y bwthyn gwyngalchog yng nghesail y cwm:
ond yn ein gwaelod mae'r ysfa
i rwygo a hollti'r ddaear,
i danio'r graig ar drywydd grym,

yr awydd i greu ynni,
i greu hanes o'r garreg las:
ac mae creithiau'r cythrel sy ynom
yn goch yng ngorllewin Môn,

yn ddarn o ddiffeithwch rhwng y glesni,
yn dirwedd o fyd arall
yng nghanol trefn resymol y tir:
yn hawlio ei harddwch ei hun –

yn olwyn gêr dan rosyn gwyllt,
yn odyn a ffwrneisi
fel olion hen demlau ger y môr glas
lle chwery'r cychod bach a'r morloi,

y gwylanod a'r gwenoliaid:
llifodd gwaed drwy'r copor a'r clai
i greu yr harddwch hagr hwn,
am fod ynom yr ynni i greu hanes,

i grafangu drwy'r gwaed a'r gwres
a chyrraedd paradwys:
diffaith pob tirlun lle na cheir olion
hen ddiwydiant a hen freuddwydion. .

Gweld Iwerddon

Mae cerdd ym môr Iwerddon
nos a dydd, mae dawns y don
yn dyst i rythmau distaw
nodau'r golau hallt a'r glaw:
o glydwch y goleudy
ymleda holl gymylau du
yr awyr fel clerwyr claf
yn hwylio'r gytgan olaf,
ac ar y tywod nodau
sgôr rhyw gerddor fu'n gwau
ei dderyn o gerddoriaeth,
cantata lle treigla'r traeth:

yma o hyd, lle cryma môr
Iwerddon, daw'r hen gerddor
i ymarfer ei offeryn,
tiwnio'i grwth, a'r twyni a gryn
i rym iasoer y miwsig
a dawns y cymylau dig,
roc a rôl crac yr heli,
a thwrw mawr llawr y lli
a yrr eu hiasau drwy'r cerrynt
a rhuo'u gwefr ar y gwynt:
a thon ar don yn cyd-uno
â'r nwyd yn ei *fodhran* o:

yma'n ei gwman mae'n gwau
ei newydd harmonïau,
sŵn bas cyson y bae
uwch araf don y chwarae;
curiad y glaw yn cario
anthem hir ei rhythmau o:
tyrd yma i'r wylfa, a'r hwyr
yn sianel i bob synnwyr,
i weld y môr a'i gerddoriaeth
yn taro rîl ar y traeth;
gweld y wefr sy'n sigl y don,
gweld harddwch, gweld Iwerddon.

Llanw a Thrai

'Fy nhestament ola'. O ffenest llofft fy ngharchar
Tu draw i lawnt y grog a thywod Lafan,
Draw dros Fenai, mi welwn Dindaethwy a Llanfaes
A'r brain yn codi a disgyn ar y coed ger eglwys Catrin;
Roedd gweld eu rhyddid digerydd yn falm i galon
carcharor.
Pan fydda inna' farw,
Ei di a'm corff i drosodd mewn cwch a'i gladdu
Yno, yn y fynwent newydd, a rhoi'r tir
I frodyr Ffransis i godi tŷ a chapel?"

Araith olaf Siwan yn nrama Saunders Lewis

Ar lan y Fenai

Fel y sêr yn yr afon,
canhwyllau'n y gwyll,
mae curiad dy galon
i'w weled o bell,
a chaniad dy bersawr
yn tywys y dall
ar hyd llwybrau'r gynghanedd,
fesul saib, fesul sill.

Mae dy lygaid dan y lleuad
fel lampau'n y drych,
a'r Fenai'n dy wefus
mor llonydd â chwch
sy'n estyn ei gysgod
yn ddistaw bach
tua'r wawr sy'n cusanu
y gorwel yn goch.

Fel dau wylliad ar derfyn
anghyfreithlon y nos,
fe ofnwn wrth i'r bore
ddod â'i olau yn nes,
a gwelwn y gwymon
yn cau amdanom â'i wŷs
a llithrwn gyda'r llanw
o afael y llys.

Clynnog Fawr

Drws y bedd a drws y clochdy,
drws y môr a drws y marwdy;
mae 'na ddrws sy ym mhob tywydd
yn ein harwain i le newydd:

drws y porth a drws y fynwent,
drws yfory, drws y foment,
mae 'na ddrysau yna i'n drysu
a rhai eraill i'n difyrru:

drws sant Deiniol, drws sant Teilo,
a'r drws hwnnw i Santiago,
drws y daith i gyrraedd terfyn
a throi clo llai dyrys wedyn:

drws ymwared, drws maddeuant,
drws hapusrwydd ar ŵyl Mabsant,
drws agored, drws gwirionedd
a llun heno ar ddrws llynedd.

Wrth droed yr Eifl

(i Angharad a Ben – Ebrill 1998)

Wrth gwr y gaer bu'r cewri'n
y dŵr iach yn ymdrochi,
yn gwylio'r swnt a chlywed si

y llechen ger y Fenai
yn galw'r cwch a'i gwelai
fel anadliad troad trai:

a'r haul yn gwanu'r heli
a herio y baneri
â llafn arianrhod y lli:

a bydd holl straeon y tonnau
a'ch cyd-ddyheu chi eich dau
yn aros wedi'r muriau,

yn goflaid fel ambell gyfle
i droi gwydr o win yn siwrne,
a rhwydo aur Môr y De,

ond ar noson wen fel heno,
a Menai a Lleu yn ymuno
i greu aur o ddŵr a gro,

adref yw'r unig fodrwy,
ac â'u hiaith a'u cyfarchion hwy
i'r pâr daw'r adar drudwy

o bell yn gawod uwchben,
a than eu henfys gellweirus, glên,
cewch eich dau hel gemau'r heulwen.

31

Penrhyn Llŷn

Y mae Awst yn ymestyn
cyhyrau ei goesau gwyn
ar hyd trum ansicr y traeth,
a huodledd cenhedlaeth
ifanc yn tasgu nofio
'n torri hafn drwy'r pyllau tro:

y mae'r haul ym myw'r heli
'n danbaid yn llygaid y lli,
a'r ymwelydd mawr melyn
dros dro'n llancio 'Mhen Llŷn,
bwrw'i rwyd am freuddwydion
a dod a'i osgordd yn don
at y rhyd lle gwyra'r traeth
i hawlio'i fuddugoliaeth:

a rhoi'r môr i'w gerddorion
a'u hwyl, ond try'r funud hon
yn garol hwyrol, a'r lan
a'i heli'n ganu'r felan;
nes i orielau'r sêr alw'r
nos a'i dawns ar draws y dŵr.

Yfory

Daw'r wawr drwy goed Eryri – a'r awel
     i grio ar Enlli,
    ond tir calonnau'n torri
    yw'n boreuddydd newydd ni.

Uwchmynydd

Erbyn hyn mae'r dibyn yn agos,
yn nes nac erioed, am wn i,
ac weithiau mae gwefr mewn syllu'n
hir i eigion y lli,

a herio'r tir oddi tanom,
a synnu canfod creigiau o hyd
sy'n gwrthod yn lân â chwalu
i'n gollwng dros ymyl y byd;

a'r nerfau ar binnau beunydd,
a phob yn ail gam yn gam yn ôl,
a thrwy'r adeg y weilgi ddiwaelod
yn disgwyl ein derbyn i'w chôl.

Haul yn twnnu ar Ynys Enlli,
minnau sydd ymhell oddi wrthi.
Pe bai gennyf gwch neu lestar,
fe awn iddi'n ewyllysgar.

Hen bennill

Abersoch yn y gaea'

Â thinc o haul, am chwinciad,
yn rhoi'i liw ar ruddiau'r wlad,
a cholur yn drwch eilwaith,
a rhyw wrid ar finlliw'r iaith;
er mai gwag yw y gragen,
llanw môr sy'n llenwi 'mhen;
nid llanw hallt Llŷn â haid
o dristwch, o dwristiaid,
ond llanw'n galw'n y gwynt,
yn wylaidd, ond llawn helynt,
llanw'r eiliadau llonydd,
y dweud o werth derfyn dydd,
a llanw'r stŵr is y don,
hen lanw'r awel yno'n
llenwi'r corneli llwynog
a nythod gosod y gôg

O Llŷn i Dywyn

(i Myrddin)

[Glaw'n rhubanau o'r awyr – a thrwy'r gwyll,
a thro'i gwch yn eglur,
daeth y sant o'i fordaith sur
i hafan y bae difyr.]

Mae lôn o Fôn i Gonwy,
o Lŷn i Dywyn, mae dwy
heol yn tywys rhywun
ar ei daith o'i grud ei hun
i wely'r siwrne ola',
y weddi oer ddiwedd ha':

aiff un lôn dros ffin i wlad
estron, drwy glawdd ac ystrad,
a dilyn trywydd union –
taith yr A55 yw hon;
diwyriad yw ei rhuo dig,
traffordd y rhesi traffig:

ond ar fap y crindir, fe wêl
dy gerddi di'r lôn dawel,
yr un drwy gwm trueni
a haearn iaith arni hi,
un sy'n canu'r Gymru gaeth
â hen gân ein gwahaniaeth:

un hynod ei chwmpeini,
yng nghlymau'i throadau hi
o'r crud i'r machlud, mae aur
i'w rannu ar benrhynau'r
wlad fach hon, a digonedd
o wlith mân, o laeth a medd.

Aberystwyth
Awst 2002

Twyni

(Mochras)

Symud wnân nhw
ar lanw a thrai,
a does neb all eu rhwystro,
does 'na neb ar fai:

gronynnau'n lluwchio
ac yn hawlio'r tir,
fydd 'na'm llan na llannerch
i'w gweld cyn bo hir:

mae o'n digwydd mor sydyn
â blaen ewyn ton,
yn batrymau tymhorau
hyd y flwyddyn gron:

yn dilyn rhaglen
ddigydwybod y lli,
ac nid oes tymestl
all ei hatal hi:

gadawn ôl ein traed
yn eu meddalwch mud,
nes i'w hegni aflonydd
ein llyncu ni i gyd.

Gwylanod

Rhwng 1400 a 1404 sgubodd Owain Glyndŵr drwy Gymru benbaladr. Cipiwyd cestyll Conwy, Harlech, Cydweli ac Aberystwyth, a chafwyd buddugoliaethau enwog yn Hyddgen a Bryn Glas. Am y tro cyntaf ers dyddiau y Llyw Olaf, roedd baneri'r Cymry'n chwifio'n falch o bennau'r tyrau.

Doedd dim ond craig yma
pan godai ein cyndeidiau
ar lethrau'r gwynt;
craig a Phumlumon ar y gorwel
yn cadw'r ffin:

yna yn nannedd y môr
codwyd muriau,
a ninnau'n eu hwylfyrddio
gan sgrechian drwy'r agennau
a herio'r saethau:

gyda'r blynyddoedd
aeth y gaer yn un â'r graig:
chwaraeai'r tonnau
â'i hymylon caregog
a ninnau'n nythu yn y tyrau noeth,

a'i heglu hi weithiau
pan ddeuai'r milwyr llwglyd
ar eu hald:
yna'n ddirybudd
fe'n hysgydwyd ni a'n poenydwyr o'n hepian

gan glochdar arfau a charnau meirch:
am chwe mis chawsom ni ddim clwydo,
a'r peiriannau'n diasbedain
a'r gwaywffyn yn fflam:
yna, a thonnau'r gaeaf

yn dringo Pen Dinas,
gostegodd y storm:
mae'r tyrau'n aros ar y graig arw,
ond cawn nythu'n y gwanwyn
dan faneri newydd.

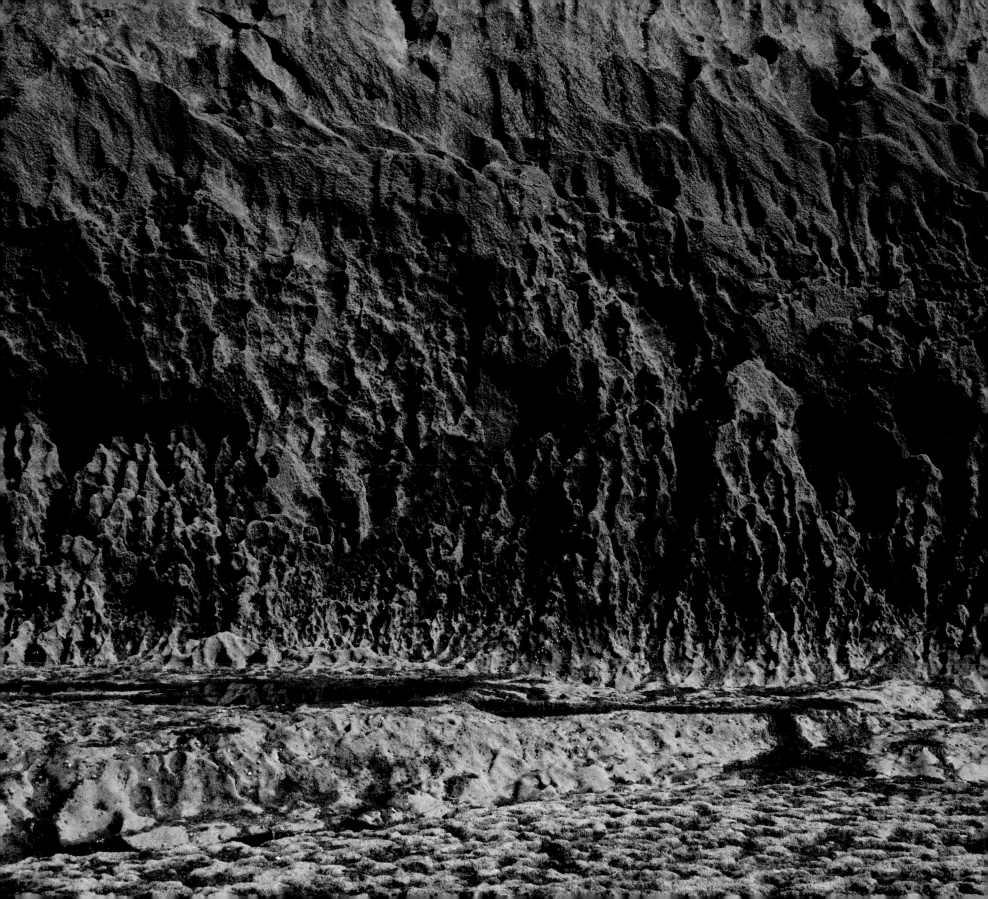

Cymru 2007

(er cof am Gwyn Erfyl)

O Ben Dinas fe wela' i
Bumlumon i gyd
a chadwyni o eira
ar y llethrau o hyd:

pan mae'n glir gwelaf Enlli
a Phwllheli a Phen Llŷn,
yn y môr oddi tanof
mae fy nghysgod fy hun:

a draw acw, Iwerddon,
yn rhimyn o draeth,
a'r gorwel yn felyn,
fel hufen ar laeth:

o Ben Dinas fe wela' i
yr hyn a'n gwnaeth ni
yn gregyn dwfn, styfnig,
ar graig ger y lli.

Aberystwyth
5 Chwefror, 2007

Carchar

O dan larymau'r synau disynnwyr,
uwch trydar diedifar tonfeddi,
a thrwy glebar y radar a'r rhwydi
trydanol sy'n pysgota'r awyr,
fe ddaw eto ryw anadliad bychan
fel cryndod drwy wlith caeau'r gelli,
daw murmur y gwanwyn, a'r mieri'n
bwrw'u blodau'n garpedi llydan:
fe ddaw eto ddirgelwch y golau'n
ymestyn, ac ar draeth Aberystwyth,
a'r graean yn crïo'n anesmwyth,
daw lliw y gwin, ac fe fyddaf innau
yma'n aros, wrth i'r nos fy nal,
yn garcharor bodlon rhwng pedair wal.

Y Llew Du, Aberystwyth
Mawrth 2003

Nadolig Aberystwyth

Tonnau'n pendolcio'r traeth,
ac wrth i'r haul fachlud
mae eu pennau gwynion blêr

yn tywallt yn hallt dros y prom,
lle mae'r goleuadau
na chafodd eu diffodd drwy'r dydd,

yn dechrau arfer â'r tywyllwch,
y nos ddiderfyn
sy'n gyrru pawb i'w gragen,

i gawell y gaeaf:
ac yn dawnsio *pirouette*
o amgylch y pier,

yr adar drudwy'n drydan,
yn cadw rhythm y gwynt a'r tonnau,
yn eco i sigl y ddrycin,

yn gwmwl rhyngof
â'r rhimyn golau ar y gorwel,
lle mae'r haul yn suddo,

i gyfeiliant carolau'r caffe,
gan ilidio'r ffurfafen
i gystrawen y sêr.

Rhagfyr yn Aberaeron

Un bilidowcar yn y bae
yn trïo dal y llanw,
ac uwch yr harbwr, ar dro'r trai,
un wylan gloff yn galw:

un dieithryn yn y dre',
'does neb a ŵyr ei enw,
na neb a wêl y gorwel llwyd
heibio i benrhyn hwnnw:

un cysgod unig, un cam gwag,
un gair yn torri'r garw,
a rhwng y gwyll a thoriad dydd,
un 'deryn dua'i dwrw.

25.11.06

Gwesty'r Harbwr
(Aberaeron)

Rhwng yr harbwr a'r cwrel – ym mae'r haf
    mae rhyw hafan ddiogel,
  a'i lli'n wâr, a'i llanw'n hel
  o'i gerrynt, berlau'r gorwel.

Ceinewydd

(Ionawr 2002)

Chwa o aea' a chewyll – yn llinell
      uwch y llanw tywyll,
   a chraig oer dan warchae'r gwyll
   cynnar, a golau cannwyll.

Mae bechgyn Ceinewydd yn ddedwydd mewn ffair,
yn cyrlio'u gwallt melyn yn nhaflod y gwair;
ond cyrlient eu gorau a byddent yn ffri,
rhyw fab o blwy' arall sydd orau gen i.

Hen bennill

Gwyliau'r ha'

(Awst 2002)

Adeg aur y tywod gwyn – a'r heulwen
     drwy'r heli a'r cregyn,
  a'r adeg i ladd rhedyn,
  a'r pladur yn chwalu'r chwyn.

(Medi 1, Aberystwyth)

Ffŵl Ebrill

Tresaith, a'r iaith ar ei hyd – yn gelain;
 wrth i'w golau fachlud
 i'r bae, daw twrw'i bywyd
 yn wawr dros y môr mawr, mud.

Morlo

(13/6/2001)

Mae'r sewin nawr mor ddiarth
â'r morlo ddaeth i'r rhwyd,
yn dilyn llanw'r Teifi
i Genarth i gael bwyd:

ond eto 'does dim un o'r ddau
mor ddiarth â'r rhai ffôl
a ddaeth ar lanw estron
i fynd a'r morlo 'nôl.

O'Me

Môr

Brodorion

(Aberteifi)

Maen nhw'n casglu
ar bnawn Mercher
yn nhywyllwch y Blac
rhag i neb eu gweld
yn rhannu geiriau:

yn smocio a chwarae pŵl,
chwarae cardiau
a ffeirio clecs
am y ffeit y noson gynt,
y ffordd y cafodd y glas
eu harwain ar gyfeiliorn:

maen nhw'n cuddio
rhag twrw'r golau'r tu allan,
cyfarth y ceir a'r cŵn
a chwithdod eu dwyieithrwydd,
yn cysuro'i gilydd
yn y siambr gladdu:

eto dan eu capiau stabal,
drewdod stêl eu sigaréts,
yn eu tuchan a'u chwerthin tagu,
maen nhw'n berchen ar fwy o urddas
na'r siopwyr unsill
yn yr archfarchnad tu fas.

Call a ffôl

Y mae'r doethion heddiw'n gwybod
maint y sêr a rhif y tywod,
ac yn mesur â'u gwybodaeth
o ba beth y gwnaethpwyd hiraeth.

Ond ar draethell rhwng dau olau,
a'r niwl yn llithro ar frig y tonnau,
cyll y call, a gŵyr y gwirion
bod llanw'r môr mewn cregyn gweigion.

Pwllderi

Gwennol yn dynwared gwylan
yn hofran ar y gwynt,
a'r môr islaw'n marwnadu'r
deryn fu'n esgyn gynt.

Yr ochor hon i'r clochdy
mae'r atgor gorau yng Nghymru,
    a rhwng hynny a min y môr
mae calon o'r yn llechu.

Hen bennill

Mis Du

Mae'r llanw'n llafar ym Mhorthgain
a'r brain yn dwrdio'r brige,
dwy ferlen rhyngof i â'r môr,
mae'n dymor tocio cloddie:

ac ym Mhorth Dwfn mae'r ogofáu
yn feddau eto i'w llenwi,
a Charreg Gwylan ydi'r graig
lle daw y penwaig 'leni:

a phan fydd trai ar y Traeth Llyfn,
nid llyfn fydd taith y tonne,
fe glyw Porth Egr heibio'r trwyn
alar a chŵyn y tyrfe:

mae'n Dachwedd, ac mae'r dail o hyd
yn hel ar stryd a heol:
'does dim yn ein byd bach moethus ni
a wna 'leni yn wahanol.

11.11.06

Gwales

Ac ym pen y seithuet ulwydyn, y kychwynassant parth a Gualas ym Penuro. Ac yno yd oed udunt lle teg brenhineid uch ben y weilgi, ac ynueuad uawr oed, ac y'r neuad y kyrchyssant. A deu drws a welynt yn agoret; y trydyd drws oed y gayat, yr hwn y tu a Chernyw. 'Weldy racco,' heb y Manawydan, 'y drws ny dylywn ni y agori.' A'r nos honno y buant yno yn diwall, ac yn digrif ganthunt. Ac yr a welsynt o ouut yn y gwyd, ac yr a gewssynt e hun, ny doy gof udunt wy dim, nac o hynny, nac o alar yn y byt. Ac yno y treulyssant y pedwarugeint mlyned hyt na wybuant wy eiryoet dwyn yspeit digriuach na hyurydach na honno … Sef a wnaeth Heilyn uab Guyn dudgueith. 'Meuyl ar uy maryf i,' heb ef, 'onyt agoraf y drws, e wybot ay y gwir a dywedir am hynny.' Agori y drws a wnaeth, ac edrych ar Gernyw, ac ar Aber Henuelen.

Tirwedd

Mae'n niwl heddiw
a'r ynysoedd yn cuddio
y tu hwnt i'r cymylau:

efallai yfory
daw'r haul i'w dinoethi a'u gorfodi
i hawlio gorwel eto,

i fod yno'n foel ac uniaith
a digwmpeini:
mor syml â hynny,

er cyn co',
eu bod nhw yno
yn ddarnau caled o'r darlun,

a'u creigiau a'u creithiau'n
herio'r cychod sy'n sleifio heibio:
a thrwy lif a thrwy lafur

y tymhorau anwadal
mae eu hacenion yn mynnu tarfu
ar ystyron unffurf y tir:

cyn rhifo'r canrifoedd
yr hyn sy'n rhoi lliw
yw llanw a thrai swil yr ynysoedd.

'Talkin' Tyddewi Blŵs'

I lawr yng Nglyn Rhosyn mae'r cennin ar dân,
i lawr yng Nglyn Rhosyn mae'r cennin ar dân:
daw haul mawr mis Ebrill â'r gwanwyn i'r gân:

i lawr yng Nglyn Rhosyn mae 'mhen i yn troi,
i lawr yng Nglyn Rhosyn mae 'mhen i yn troi:
pob maen wedi'i dreiglo, pob arch wedi'i chloi:

i lawr yng Nglyn Rhosyn mae'r dŵr fel hen win,
i lawr yng Nglyn Rhosyn mae'r dŵr fel hen win,
mae cysgod yfory ym mhob deilen grin.

Maent yn dwedyd bod yr wylan
ar y traeth yn cadw tafarn,
ac yn gwerthu'n rhad y ddiod, –
dyna un o'r saith rhyfeddod.

Hen bennill

Pererin

Machlud enbyd dros Iwerddon
yn paentio'r llanw'n goch,
a chennad un o gafnau gwin
Tyddewi'n canu'r gloch:

yn galw'r hen ffyddloniaid
i'r Ffarmers a'r Old Cross,
eu galw o'r gegin, eu galw o'r ffald
yn un gwmnïaeth glos:

a f'yntau yn eu canol
yn greadur ar wahân,
a'i acen yn ogleddol
a chwithdod yn ei gân:

a'r siwrne'n baeddu'i siaced,
ei sgidiau'n llwch i gyd,
a boreau diddihuno
yn baderau ar ei bryd:

ond yng nghwmpeini'r seiat,
yn sgwrs y crysau sgwâr,
roedd pob un wên yn gynnes,
a phob un gair yn wâr:

fe ddaw o yma eto
hei-ho i Gaersalem bell,
mae dwy daith i Dyddewi
gymaint a hynny'n well.

Dewi a Declan

Mae awdurdodau eraill yn dweud bod Declan wedi ymweld â Rhufain sawl gwaith, ond nid oes unrhyw dystiolaeth ysgrifenedig gan yr hen gofnodwyr ei fod wedi teithio yno fwy na thair gwaith. Ar un o'r adegau hynny ymwelodd Declan ag esgob sanctaidd y Brythoniaid o'r enw Dewi yn yr eglwys a elwir Killmuine [Menevia] lle'r oedd yr esgob yn trigo ar lan y môr sydd rhwng Iwerddon a Phrydain. Derbyniodd yr esgob Declan ag anrhydedd ac arhosodd yno am ddeugain diwrnod, yn serchog a llawen, ac fe fu'r ddau yn dathlu'r Offeren bob dydd gan greu cwlwm cariadus a barhaodd rhyngddynt eu dau a'u holynwyr fyth wedyn. Ar derfyn y deugain diwrnod ffarweliodd Declan â Dewi gyda chusan yn arwydd o heddwch ac yna ymadael yng nghwmni ei ddisgyblion tua glan y môr cyn mynd ar fwrdd y llong i'r Iwerddon.

Buchedd San Declan, Ard Mhór

Tebyg iawn i'r môr yw'r merchad,
weithiau'n mynd ac weithiau'n dŵad.
Pan fo'n dawel yn y dyfnddwr,
ar y lan fe gyfyd cynnwr'.

Hen bennill

Blŵs # 5

Dwi'n cerdded lawr i Solfach,
haul y bore ar fy ngwar,
dim arian yn fy mhoced
a dim petrol yn y car;
dim neb i rannu'r eiliad,
gwely oer a'r drws ar glo,
mond hen bysgotwr ar y cei
a'r blŵs ar ei anadl o:

dwi'n cerdded mewn i Solfach,
chwarter awr i lawr yr allt,
'di 'nghariad ddim yn gwrando
a 'di 'ngwraig i ddim yn dallt;
cysgodion hir ar Main Street,
ogla heli ar y gwlith,
a'r hen bysgotwr ar y cei
yn gwisgo'i gap o chwith:

dwi'n cerdded adre i Solfach,
os mai adre ydi'r gair,
a finne ddim yn perthyn
i grefydd, ffydd na ffair;
gwylanod blin yn erlid
hen grëyr tua'r ffin
a'r hen bysgotwr ar y cei
yn troi y llanw'n win.

Awst 2002

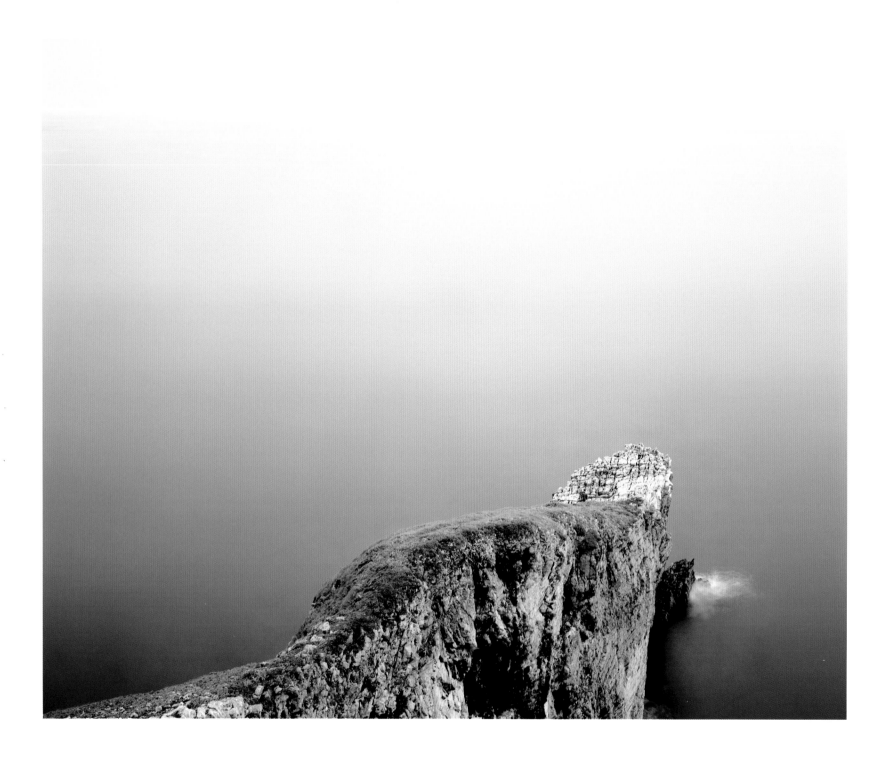

Bagad o Gymru a aethant yn Amser y Frenhines Elsbeth drwy eu Gorchymyn hii'r Gorllewyn India i ddial ar, ag i anrheithio'r Hispaenwyr

Capten Roberts yw'r ail Gŵr
a fentrai'n siŵr fal Saison
neu fal Theseus gnwppa mawr
fe gur i lae ei 'lynion

Huw Miltwn ymhôb mann
a wneiff ei rann, ar eitha igŷd
ar ddai Lifftenant ymhôb trîn
Salbri a Pheilîn hefŷd

Robert Billings, Sersiant Huws
ni wnant druws â'r gelyn du
Wil Tomas a Wil Jones a Hugh
wel dyna'r Criw o Gymru.

Lifftenant William Peilyn

Penillion

Lle mae dŵr a lle mae deryn,
lle mae eto un llymeityn,
yno'n amal y dof innau
i ddal y deigryn rhwng dau olau.

Murmur gwenyn, trydar gwenoliaid,
alawon tawel corff ac enaid;
yn y coed mae'r cof yn cadw
gwyfyn brau yr atgof hwnnw.

Taflu carreg i bwll llonydd,
gweld y dŵr yn troi o'r newydd;
rhyw le felly oedd Afallon
a golau dydd yn y gwaelodion.

Aber Henfelen

Fe ddeuwn yma'n ddiarth,
yn donnau o ganiau a gwarth
anhysbys a di-ddosbarth:

broc môr o rywle'n gorwedd
ym mhwll penllanw llynedd
yn gregyn gwag garw'n gwedd:

llanast o goed a phlastig
yn rhwydi gwasgaredig
ar y morfa'n chwarae mig;

yn wymon o batrymau,
a thrai a ddaeth i ryddhau
ein hanes yn dwyni o enwau.

Dilyn Dylan

Sêt i un yn y Brown's Hotel – yn wag,
a neb yn y gornel,
ond gwên ei awen sy'n hel
eto ar geg y botel.

Abertawe, Chwefror 2001

'Un o'r teithiau hir hynny
a phob cân ar donfeddi'r car
yn taro cord cyfarwydd –
"a New York state of mind",'

ond mae Brown's ar gau
a'r bae dan niwl
a lliw rhyfedd ar y glaw
a thonnau Niwgwl
yn glafoerio ar y traeth islaw:

ac mae'r lonydd tawel union
yn dal i arwain tua'r ffin,
ac mae blas y gusan olaf yn y gwin.

'Neithiwr enillodd Dylan
y dartiau yn y Cross,
a churo Siôn mewn wyth dart:'

er bod Brown's ar gau
a'r bae dan niwl,
a lliw rhyfedd ar y tonnau
ar draeth Niwgwl,

a'r lonydd tawel union
yn dal i arwain tua'r ffin,
ac acen hen gymeriad ar y gwin.

'Yn yr oriau tirion hynny
sy'n gyrru eu trugaredd
ar e-bost o bell,
mae'r tywydd ar wynebau'r genod
sy'n mochel dan wal y castell ...'

'It's only roc'n roll but I like it!'
o Dalacharn i Abertawe –
yr un daith o hyd:

ond mae Brown's
yn dal ar gau
a'r bae dan niwl
a lliw rhyfedd ar y gwin,
a thonnau Niwgwl
yn gyrru un golomen tua'r ffin:

ac mae'r lonydd tawel union,
y lonydd tragywydd rhwng dau,
a blas y gusan olaf yn parhau.

Talacharn, 31 Mawrth 2006

Fe gei di feio fy nychymyg blin

Fe gei di feio fy nychymyg blin,
sy'n gweld ym mhob un lle dy wyneb di,
ym merw'r gerdd ac yng nghwmpeini'r gwin,

amlinell bryniau pell wrth groesi'r ffin,
ym Mhenmaenpŵl neu Dresaith, lle mae'r lli
hefyd yn beio fy nychymyg blin,

am ddilyn dagrau hesb y ddeilen grin
yn lle cwmnïaeth ddifyr dau neu dri
ym merw'r gerdd ac yng nghwmpeini'r gwin:

yn Nhraeth Coch, a Thalacharn a'r Marîn,
ar fore o Fai, a'r brigau yn eu bri,
fe gei di feio fy nychymyg blin

am roi i wres yr haf aeafol hin,
a synhwyro dy ffarwél ym mhob un si
ym merw'r gerdd ac yng nghwmpeini'r gwin:

ond yn fore ym Mere, a'r gwlith yn gwlychu glin,
ac ar brynhawn ym Mangor fe wn i
y cei di feio fy nychymyg blin
am ferw'r gerdd ac am gwmpeini'r gwin.

Ebrill 2001

Y Swper Olaf
(i Nigel)

Roedd y sgwrsio'n frwd
ar bnawn Gwener
mewn bar gwin yn y Mwmbwls:

y tu allan
roedd y traffig yn cynyddu,
yn crwbanu'n araf tua'r traeth:

yr adeg yna o'r wythnos,
pryd mae pob un gusan
yn pregethu rhyddhad,

a phob tei yn datod cwlwm,
botwm ucha' crys yn cael ei agor
a'r car wedi'i barcio:

yn ystod un eiliad llonydd
yn y drych tu ôl i'r bar
roedd yr olygfa'n gyfarwydd:

y gwin yn cael ei weini,
y bara'n cael ei dorri,
a bwyd môr bae Abertawe

yn rhwydo'r ffyddloniaid:
y peth rhyfedda'
wrth i'r olygfa bylu'n ara',

oedd nad oedd llygaid neb yn cwrdd
tu hwnt i'r bwrdd hir
yn y drych tu ôl i'r bar.

Miami Beach
(i Robert M)

Mae 'na ddyfnder
na all rhai ei ddirnad,
y dyfnder sy' ar gyrion y môr,
y dyfnder ar ymyl yr eiliad:

y morfil ar y morfa,
ti biau'r llinell yna,
ac fe fydd hi, tan daw yr ha'n
gynghanedd canol gaea',

yn ddyfnder sy'n ymddangos mor hurt,
y dyfnder sy'n brifo weithiau,
y dyfnder sy'n troi y tywyllwch
yn alwyni o olau:

ac oherwydd y dyfnder hwnnw
mae'r beirdd yn bodoli,
a bydd concrid oer y promenâd
yfory'n wlad i'w chlodfori.

Cynffig

Nid llanw'r môr a foddodd
strydoedd y ddinas hon
a dwyn muriau Morgan Mwynfawr
i'w gwely o dan y don:

nid grym y dŵr a'i gerrynt
a bydrodd ddistiau'r saer,
nid ton bae Abertawe
a chwalodd furiau'r gaer:

yr hyn a ddaeth i'w cuddio
oedd dygn wynt y de
i luwchio'i laid a'i dywod
yn amdo dros y lle.

Teithio i Borthcawl

Roedd y dafnau'n tasgu ar wyneb y lôn
wrth adael glannau Menai a Môn,

a ffyrdd y canolbarth yn ddiarth dan ddŵr,
fe wnaiff hi wella tua'r deheubarth dwi'n siŵr;

ond mae'r dilyw'n parhau ar y Bannau'n ddi-baid,
a thomenni llwyd Merthyr yn llithro i'r llaid:

mae tyrau'r Castell Coch yn gweld y smonach is-law
a goleuadau'r M4 yn gwelwi'n y glaw;

damweiniau a dagrau a chyffiniau ffydd,
mae'r llanw'n ddiddiwedd, mae 'di bwrw drwy'r dydd:

ond fe ddois i'n y diwedd, er gwaetha' y lli',
er bod cryndod y siwrne yn fy mysedd i,

yn wlyb at fy nghroen, yn fain ac yn fwll,
i daflu 'ngheiniog ola' i Ffynnon Pwll.

Porthcawl

Un tro fe fyddai'r bae a'r traethau hyn
yn ddu gan lowyr, yn faddonau llwch,
a mwg eu ffags nhw yn gymylau gwyn,
a'u sŵn ar G'lame uwch y dre yn drwch;
yma fe ddeuai'r cymoedd i droi'r haf
yn firi diwydiannol am ryw hyd,
yn beiriant diberfeddu tywydd braf,
yn gŷn a morthwyl a hufen iâ 'r un pryd:
ond er bod ôl eu llafur drwy y lle
ac ogle'u baco yn y bwytai bach,
ni ddôn nhw bellach i feddiannu'r dre',
ildiodd y glowyr eu traeth i'r awyr iach,
a sgwn i pwy yn awr sy'n dallt y sgôr
lle daw'r tai teras lawr i lan y môr?

Caerdydd 15.2.07

Gwteri

'In short, unless you are a steroid-using brain-damaged alcoholic, a desperate drug-addled old slapper, banned from everywhere else on the planet or an anthropologist looking for new subjects, then be afraid of the Buccanneer, be very afraid.'

Weithiau mae'n werth ymweld â'r gwter,
ar dywydd gwlyb, yn socian,
wyneb yn wyneb â'r ddrycin:

mae o yn y dŵr, yn y dŵr rhwng dynion,
y diawledigrwydd hwnnw
a lenwodd y Buccaneer ar bnawn o Ionawr:

roedd Wayne yr Ŵy hefyd yn llawn
o ganiau benthyg pnawn Sadwrn,
a'r ceffylau'n rasio drwy'r glaw cynnes:

y teledu'n y gornel fel goleudy
yn fflachio'r canlyniadau pêl-droed,
a'r ffair yn llonydd: yn y pellter,

i lawr y lonydd concrid union,
carafanau Bae Trecco'n gwgu tu ôl i'r muriau
a'r weiren bigog, fel gwersyll rhyfel:

ond tu hwnt i'r llanw roedd Gwter y Cŵn,
y Gwter Fawr a Gwter Hapsog,
a hyd yn oedd Gwter Gyrn y Locs,

yn llawn at eu hymylon: â'r gwteri'n gorlifo
'does neb yn ei iawn bwyll
am herio'r llanw.

Ar lan y môr mae carreg wastad,
lle bûm yn siarad gair â'm cariad.
O amgylch hon fe dyf y lili
ac ambell gangen o rosmari:

ar lan y môr mae cregyn gleision,
ar lan y môr mae blodau'r meibion,
ar lan y môr mae pob rhinweddau,
ar lan y môr mae 'nghariad innau:

llawn yw'r môr o swnd a chregyn,
llawn yw'r ŵy o wyn a melyn,
llawn yw'r coed o ddail a blodau,
llawn o gariad merch wyf innau.

Hen bennill

Din y Frân
(Dunraven)

Ar Drwyn y Wrach mae'r gwynt yn bwrw
un garreg unig ar dywydd garw,
ac ym mytholwyrdd ddail y dderwen
mae ôl yr heli, blas yr halen:

sŵn yr ewyn, lliw y tonnau,
eco'r ogof yn y creigiau,
a phafin calchfaen yn dal i daenu
petalau lili'r môr i'w malu:

yn y graig mae ôl traed rhywun
a fentrodd gam tu hwnt i'r dibyn,
ac ym Mwlch y Gro mae cragen
a'i chylchoedd hi yn hŷn na'r dderwen:

mae eiddew'n hawlio'r muriau cerrig
lle gynt bu gerddi'r gwŷr bonheddig,
nid yw ein hanes ni ond gronyn
o dywod a dry'n wydr wedyn.

Ionawr 2008

Llan-faes

Ac maen nhw yno,
dan wyneb glas y tir,
dan haenau o bridd a chlai a chalch,
atalnodau ein hanes,
ebychiadau ein mynd a'n dod:

o'r awyr, o'r gofod
mae eu patrymau'n amlwg,
yn llinellau onglog,
yn gylchoedd, yn gromlechi:
a rhyngddynt mae'n geiriau,

ein chwedlau yn ymestyn
i fwydo'r ogof a adawyd,
a lanwyd gan esgyrn a chreiriau,
tomenni gwastraff ein tanllwythi:
a'r haul yn machlud ar ein cwmnïaeth

daw yr hanesion yn ôl
fesul cymal, fesul collnod,
i hawlio'r llecyn rhyfedd hwn
lle mae'n geiriau coll yn gorwedd
dan droedfedd o dir.

10.10.06

Y Bae

Roedd y driniaeth gosmetig yn llwyddiant,
fe gaiff ran mewn ffilm eto,
y croen yn llyfnach,
yn lanach,
ac ar hwyrnos o wanwyn
a'r gwenoliaid yn cyrraedd
mae'r haf yn dawnsio
yn y llygaid glas:

wedi bod dan law y doctor
cafodd gewynnau eu tynhau,
cyhyrau eu cywiro:
yr hen ddagrau a ddaw gyda henaint
eu sychu,
a chafodd y llanw styfnig ei droi:
cyfododd Caniwt:

ond wrth i'r adar blêr
adael i nythu ar lan arall,
ac wrth iddo edmygu ei hun
yn ei ddrych llonydd:
'y bae prydfertha'n y byd!'
'y bae prydfertha'n y byd?'
'y bae prydfertha'n y byd …'

mae'n rhaid bod darn ohono
yn dal i edliw
y rhychau a'r creithiau,
y chwerthin a'r chwerwedd
a'i gwnaeth yr hyn ydi o,
sydd fel hen gân blŵs
yn dal i lechu
yn y gwaelod du.

Ebrill 2004

Caerdroia

Mae'r dail a'r gwiail yn gwau'r
mieri drwy'r tymhorau:
caru iaith yw hel creithiau.

Drws/Drysfa

Un agoriad. Dwyn geiriau.
Y dweud diniwed rhwng dau.
Y gwely celwydd golau.

Ffynnon

Dyma eto rhyw damaid
o'r lle dan y llyn a'r llaid,
yr allor agor llygaid.

Betws

Ffôn symudol. Ffasiwn. Ffair.
Traffig ynfyd. Ffoi. Gwenfair.
Rhywle. Y gwagle mewn gair.

Gwydyr

Mae yn angerdd hen gerddi
fymryn o'r hyn ydym ni,
rhyw reswm yn goroesi.

Cartref

Sbwriel iâ ar ddisberod,
y bocs cardbord hyna'n bod,
gwely'r graig ar y gwaelod.

Cynefin

Yn ein natur mae'r ateb,
Yn hen dderwen, yn ddihareb,
Yn adar a'u nyth, yn dir neb.

Mehefin 2005

Caerllion ar Wysg

Mae'n oer ar y bont heno, Lucius,
a'r Wysg yn llwyd ac yn lleddf
a gwynt y dwyrain yn giaidd –
dyna'i reddf:

mae'n gafael ar y bont heno, Lucius,
fel bylchau yr Alpau, dweud y gwir,
ond fe weli di winllannau'r Eidal
cyn bo hir:

mae'n dywyll ar y bont heno, Lucius,
a thanau'r Brythoniaid yn oer,
a Phorth y De yn disgleirio
'ngolau'r lloer:

daw'r wawr ar y bont eto, Lucius,
i droi'r barrug yn ddeiemwntiau llaith,
yn gyfoeth i'th baratoi tithau
at y daith:

maen nhw'n croesi y bont eto, Lucius,
yn gadael am foroedd y de,
a dy adael di dan bridd tramor
oer y lle.

Twmi

Ar y morfa gwyrdd y mae Twmi'n preswylio,
    A'i ddrws yn agored i'r cefnfor glas,
Heb ddim i'w ddifyrru yn awr wrth noswylio
    Ond y teid yn dod miwn, a'r teid yn mynd mas.

Byr iawn yw ei daith, a thyn ydyw'r fegin
    A byr yw ei gam oedd gynnau mor fras;
O'r gegin i'r drws ac o'r drws i'r gegin,
    Fel y teid yn dod miwn, a'r teid yn mynd mas.

Ond mae'n cofio'r holl daith er y cryndod a'r crwmi,
    Ac weithiau mae'n mynd dros y daith gyda blas;
A rhywbeth fel yna yw bywyd, medd Twmi,
    Rhyw deid yn dod miwn, a theid yn mynd mas.

Nantlais

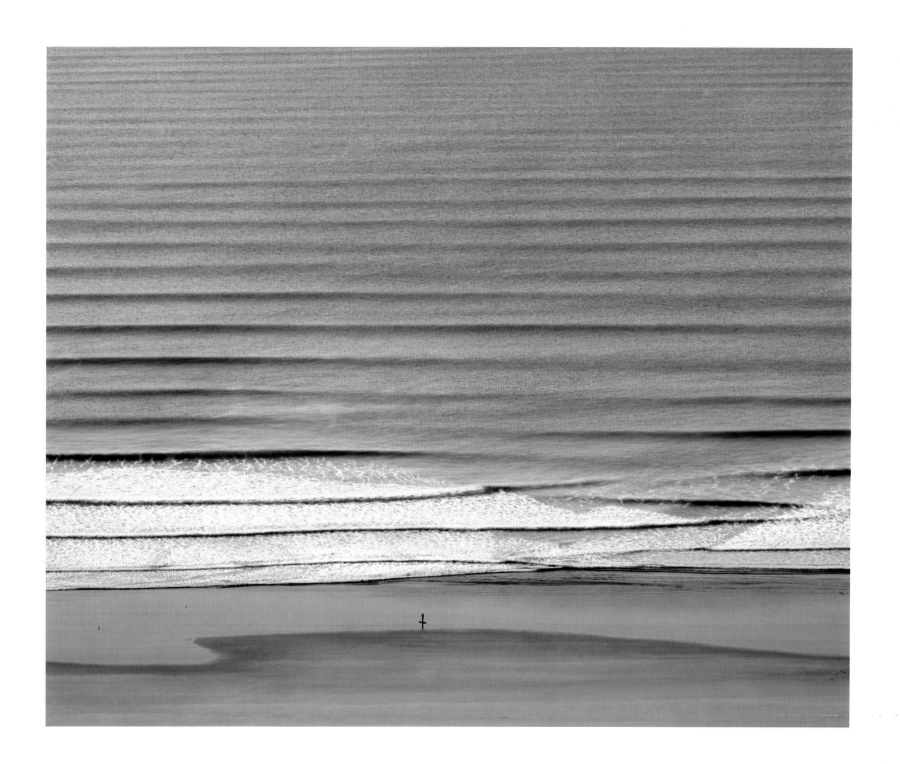

Methu gweld Cymru o Loegr

Gwylan fach adnebydd,
pan fo'n gyfnewid tywydd,
    hi hed yn deg ar aden wen
o'r môr i ben y mynydd.

Hen bennill

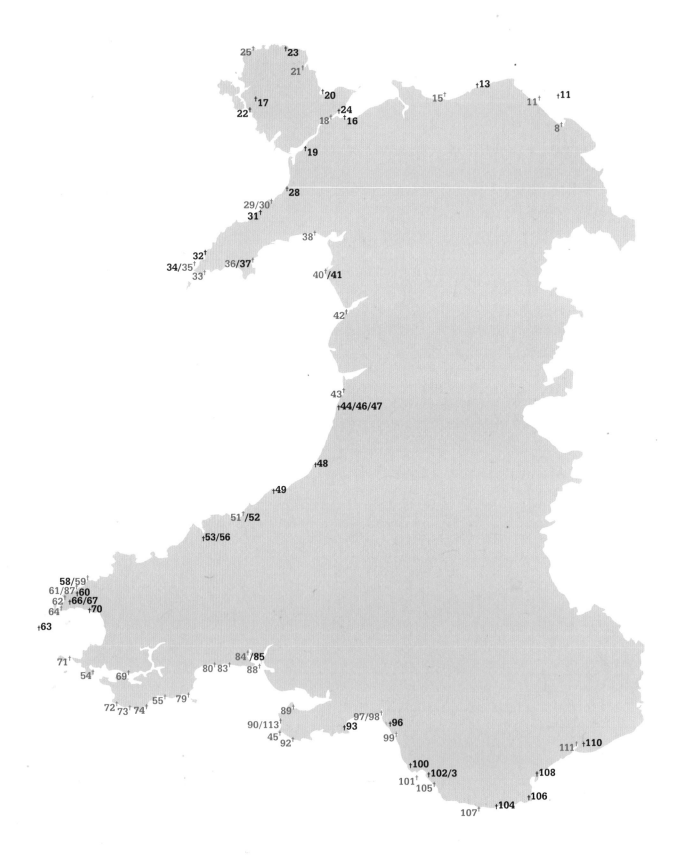

Lleoliadau

† Lleoliadau'r delweddau

† Lleoliadau'r geiriau

8 Pont Sir y Fflint: agorwyd y bont yn 1998, gan y Frenhines Elizabeth II.

25 Un o'r *white ladies*, gyferbyn ag Ynysoedd y Moelrhoniaid, Môn. Mae tair 'ladi' i gyd: dwy ar Drwyn y Gader yng ngogledd orllewin pellaf Môn ac un ar Ynys Maen-y-bugail. Cynhorthwy i forwyr ydynt; pan fydd llongwr yn gallu gweld y tair ladi mewn llinell syth, gŵyr ei fod ar gwrs diogel drwy'r sianel sy'n rhedeg heibio i'r Moelrhoniaid.

10 Duke of Lancaster, Llannerch-y-môr, ger Mostyn, aber afon Dyfrdwy. Ar ôl cyfnod fel fferi rhwng Cymru ac Iwerddon, tiriwyd y llong mewn concrit yma yn 1979, gyda'r bwriad o'i defnyddio fel 'llong hwyl' [fun ship]. Byrhoedlog fu'r rhan hon o'i hanes a bellach mae'n araf rydu i'w thranc.

27 Afon Menai o bont Telford ar dro'r llanw, yn edrych ar Bwll Ceris.

15 Dolos a'r Kaami, Raynes Pier, Llanddulas. Daw llongau fel y Kaami i'r pier hwn i gasglu graean o chwarel galchfaen Raynes yn Llanddulas ger Bae Colwyn. Diogelir yr arfordir yma gan 20,000 o dolos, sef y siapiau concrit fel H â thro ynddo, sy'n gwarchod rhag erydiad tir.

29 Chwarel ithfaen Trefor, ar lethrau'r Eifl: golygfa i'r gogledd-ddwyrain i gyfeiriad Gyrn Goch a Gyrn Ddu. Oddi yma hefyd gellir gweld Gored Beuno yng Nghlynnog Fawr, a dau o leoliadau Pedwaredd Gainc y Mabinogi, Caer Arianrhod a Thrwyn Maen Dylan.

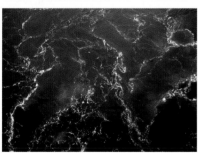

18 Afon Menai o bont Telford ar dro'r llanw, yn edrych i lawr i Bwll Ceris.

30 Yr inclein ar yr Eifl, yn edrych tua'r gorllewin i gyfeiriad Iwerddon.

21 Traeth Dulas. Yn y cefndir y mae Pentre-Eiriannell, cartre Morrisiaid Môn. Un o'r brodyr dawnus hyn, Lewis Morris, fu'n gyfrifol am fapio arfordir Cymru yn y ddeunawfed ganrif, a deil yr wybodaeth forwrol a nododd ef i fod o ddefnydd i forwyr hyd heddiw.

33 Olion hen bier Porth Simdde, Aberdaron, gydag Ynys Gwylan Fach ac Ynys Gwylan Fawr yn y cefndir.

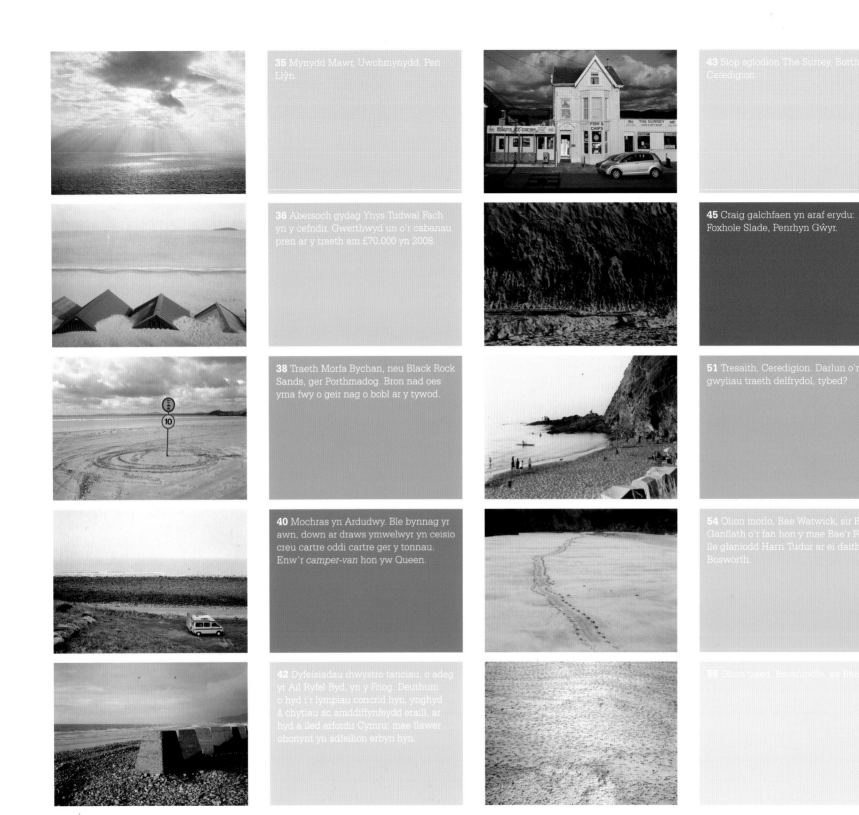

35 Mynydd Mawr, Uwchmynydd, Pen Llŷn.

36 Abersoch gydag Ynys Tudwal Fach yn y cefndir. Gwerthwyd un o'r cabanau pren ar y traeth am £70,000 yn 2008.

38 Traeth Morfa Bychan, neu Black Rock Sands, ger Porthmadog. Bron nad oes yma fwy o geir nag o bobl ar y tywod.

40 Mochras yn Ardudwy. Ble bynnag yr awn, down ar draws ymwelwyr yn ceisio creu cartre oddi cartre ger y tonnau. Enw'r *camper-van* hon yw Queen.

42 Dyfeisiadau rhwystro tanciau, o adeg yr Ail Ryfel Byd, yn y Friog. Deuthum o hyd i'r lympiau concrid hyn, ynghyd â chytiau ac amddiffynfeydd eraill, ar hyd a lled arfordir Cymru; mae llawer ohonynt yn adfeilion erbyn hyn.

43 Siop sglodion The Surrey, Borth, Ceredigion.

45 Craig galchfaen yn araf erydu: Foxhole Slade, Penrhyn Gŵyr.

51 Tresaith, Ceredigion. Darlun o'r gwyliau traeth delfrydol, tybed?

54 Olion morlo, Bae Watwick, sir Benfro. Ganllath o'r fan hon y mae Bae'r Felin, lle glaniodd Harri Tudur ar ei daith i Bosworth.

55 Olion traed, Barafundle, sir Benfro.

59 Abercastell, sir Benfro, gyda Phen-caer a Phwllderi yn y cefndir.

71 Y llanw'n rhuthro yn Jack Sound, rhwng y tir mawr ac ynys Sgomer. Enw'r garreg yn y llun yw Tusker Rock (ond nid honno ym Morgannwg).

61 Harbwr Porthgain. Roedd yma waith yn allforio cerrig ar gyfer heolydd. Adeiladwyd y ffasâd brics sy'n cuddio'r hopranau yn gynnar yn y 1900au, ond caewyd y gwaith yn 1931.

72 Ar ben y Bont Werdd, Castellmartin. Gwelir Ynys Wair ar y gorwel.

62 Blue Lagoon, Abereiddy; Trwyn Castell (ar y dde) a Charn Llidi (ar y chwith). Chwarel lechi oedd yma; dechreuwyd cloddio yn y 1840au ond heblaw am y ceudwll ei hunan, sydd bellach wedi ei drechu gan ddŵr y môr, unig olion y chwarel yw tŵr y powdwr gwn a ddefnyddid i danio'r graig.

73 Huntsman's Leap, Bosherston, sir Benfro.

64 Y môr rhwng Porth Stinian ac Ynys Dewi, Pebidiog.

74 Cei Ystagbwll, sir Benfro.

69 Man of War Roads, yn hafan Aberdaugleddau, gyda ffer *Isle of Inishmore* yn gadael am Iwerddon.

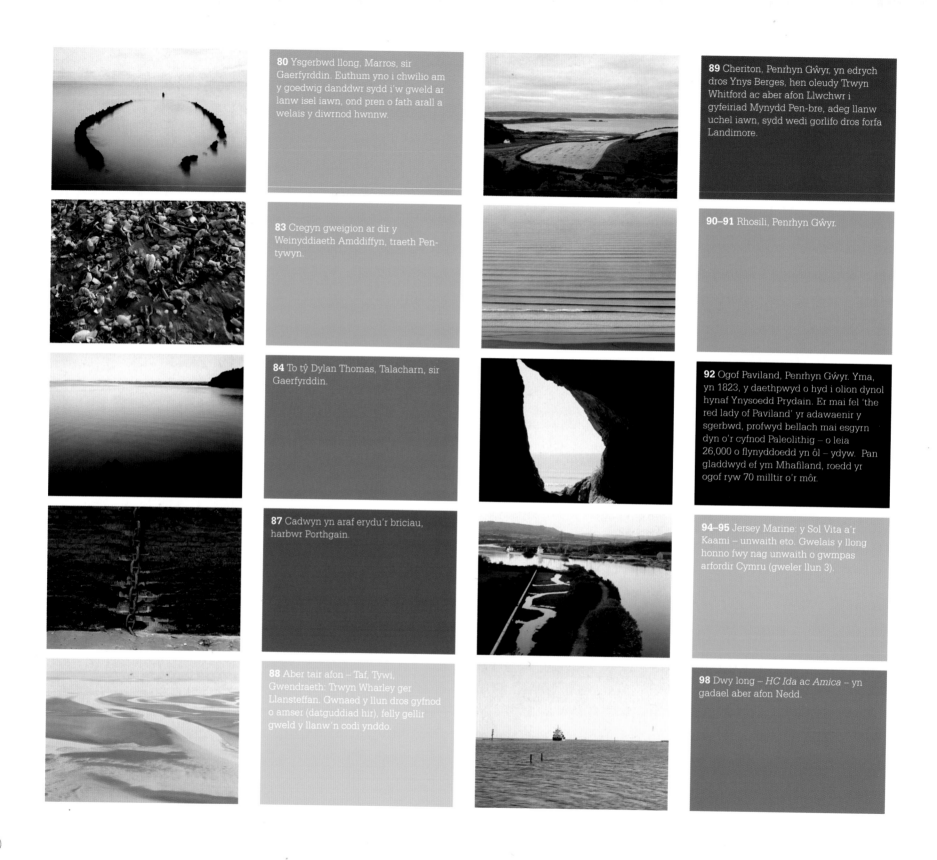

80 Ysgerbwd llong, Marros, sir Gaerfyrddin. Euthum yno i chwilio am y goedwig danddwr sydd i'w gweld ar lanw isel iawn, ond pren o fath arall a welais y diwrnod hwnnw.

83 Cregyn gweigion ar dir y Weinyddiaeth Amddiffyn, traeth Pentywyn.

84 To tŷ Dylan Thomas, Talacharn, sir Gaerfyrddin.

87 Cadwyn yn araf erydu'r briciau, harbwr Porthgain.

88 Aber tair afon – Taf, Tywi, Gwendraeth: Trwyn Wharley ger Llansteffan. Gwnaed y llun dros gyfnod o amser (datguddiad hir), felly gellir gweld y llanw'n codi ynddo.

89 Cheriton, Penrhyn Gŵyr, yn edrych dros Ynys Berges, hen oleudy Trwyn Whitford ac aber afon Llwchwr i gyfeiriad Mynydd Pen-bre, adeg llanw uchel iawn, sydd wedi gorlifo dros forfa Landimore.

90–91 Rhosili, Penrhyn Gŵyr.

92 Ogof Paviland, Penrhyn Gŵyr. Yma, yn 1823, y daethpwyd o hyd i olion dynol hynaf Ynysoedd Prydain. Er mai fel 'the red lady of Paviland' yr adawaenir y sgerbwd, profwyd bellach mai esgyrn dyn o'r cyfnod Paleolithig – o leia 26,000 o flynyddoedd yn ôl – ydyw. Pan gladdwyd ef ym Mhafiland, roedd yr ogof ryw 70 milltir o'r môr.

94–95 Jersey Marine: y Sol Vita a'r Kaami – unwaith eto. Gwelais y llong honno fwy nag unwaith o gwmpas arfordir Cymru (gweler llun 3).

98 Dwy long – *HC Ida* ac *Amica* – yn gadael aber afon Nedd.

97 Mynwent y Cawr, Jesey Marine, Bae Abertawe. Cei bach sydd yma nawr, ond arferai fod yn ddiwedd y daith i longau mawrion, gan gynnwys llongau rhyfel a phleser, a ddoi yma i gael eu sgrapio yn iard Thomas Ward.

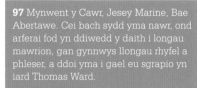

111 Pont gludo Casnewydd, yn croesi afon Wysg ger Crow Point. Enw'r afon yn y fan hon yw Cold Harbour Reach. Agorwyd y bont, sy'n unigryw yng Nghymru, yn 1906.

99 Aberafan, gyda gwaith dur Port Talbot yn y cefndir.

113 Rhosili, Penrhyn Gŵyr.

101 Tusker Rock, Aberogwr, Môr Hafren. Mae'n enw eitha cyffredin ar greigiau oddi ar arfordir Cymru (gweler llun 26), ac mae'n bosib y cafodd ei enwi ar ôl Tuska'r Llychlynwr.

115 Cymru o Loegr, neu Aber Henfelen o'r ochr draw.

105 Trwyn y Witch, Din-y-frân, Bro Morgannwg.

128 Gwylio, Castellmartin (gyda diolch i Caspar David Friedrich).

107 Iglŵ, Aberddawan, Bro Morgannwg. Allanfa ar gyfer dŵr cynnes o'r pwerdy cyfagos ydyw mewn gwirionedd; o ongl arall, ymdebyga i deml Roegaidd!

CEFN Mathern Ooze, ger Cil-y-coed, a Phont Hafren yn y cefndir

Y môr a mi…
Aled Rhys Hughes

Mae gen i frith gof o'r tro cyntaf i mi weld y môr; rhaid mod i'n dair neu bedair oed. Diwrnod trip yr Ysgol Sul o Saron Ynyshir i Aberafan ydoedd. Mynd yng nghwmni fy nhad ac Anti, sef Mrs A. C. Evans – cymdoges fodrybaidd iawn, er nad oedd hi'n perthyn go iawn. Roedd hi'n ddiwrnod hynod stormus a gwyntog a bu pawb tu fewn i'r Afan Lido gydol y dydd, yn arogl y clorîn, â'r ager yn codi'n gymylau o ddŵr cynnes y pwll nofio. Drwy'r gwydr pŵl, roedd y môr dirgel yn geffylau gwynion gwyllt.

Dychwelais sawl tro i Aberafan yn ystod cyfnod paratoi'r llyfr hwn, ond chefais i'r un profiad tebyg i'r tro cyntaf hwnnw yn 1969.

Un o'm hoff bethau fel plentyn oedd cael eistedd gyda Mam-gu yn edrych ar lyfr yn llawn lluniau o siarcod. Wyddwn i ddim a oedd y delweddau'n real ai peidio – wedi'r cyfan, sut allai pen pysgodyn edrych fel morthwyl? Roedd yn y llyfr hefyd ddiagram cymhleth yr olwg yn darlunio'r modd y bu i bob bywyd ar wyneb y ddaear ddechrau yn y môr. Roedd canghennau lawer i'r diagram, rhai'n dangos trilobytes a deinosoriaid, ond ar y brig roedd lluniau mwncïod a dynion. Parodd hyn benbleth i mi am flynyddoedd; roedd y syniad ein bod yn cael ein geni fel pysgod ac yn tyfu trwy ddeinosoriaid a mwncïod i fod yn bobl y tu hwnt i reswm – ond os oedd y llyfr yn dweud, rhaid ei fod yn wir…. Her fu esblygiad i mi am flynyddoedd wedyn!

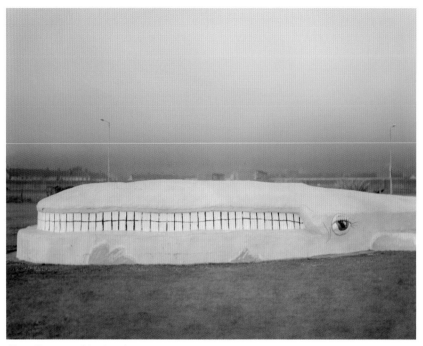

'Y morfil ar y morfa', Aberafan

Maes parcio, castell a Golff, talacharn

122

Llandudno

Doc Fictoria, Caernarfon

Ar ôl i'r teulu symud o'r Rhondda i Gwmllynfell, daeth gwyliau haf a 'Stop Fortnight' i beri mwy o benbleth a chwilfrydedd. Ar yr adeg arbennig hwnnw o'r flwyddyn, diflannai pob plentyn yn y pentre, heblaw am fy mrawd a minnau, i ryw Hamelin glan-môr. Gan amlaf, i Bytlins neu i Minehead y bydden nhw'n mynd, ac i reswm plentyn roedd Minehead yn lle hollol amlwg i lowyr fynd ar eu gwyliau – ond byth i Aberaeron, gan fod gormod o bobl Brynaman yno!

Byddai llawer o sôn ar iard yr ysgol cyn i'r plant fynd ac am wythnosau wedi iddyn nhw ddychwelyd am yr hyn a ddigwyddai yn ystod eu pythefnos ryfeddol yn Bytlins. Feiddiwn i ddim gofyn i'r un ohonynt beth oedd Bytlins, rhag ofn iddyn nhw feddwl mod i'n dwp. Ond un diwrnod mentrais ofyn i un ffrind ble roedd Bytlins. Y siom – doedd ganddo ddim syniad; Bytlins oedd Bytlins!

Yn Ysgol Sul Cwmllynfell cynhelid pleidlais flynyddol i benderfynu ble byddai'r trip yn mynd. Dim ond dau ddewis oedd ar gael bob blwyddyn – Porthcawl ynteu'r Barri. Am ryw reswm byddwn innau wastad eisiau mynd i Borthcawl ond am naw mlynedd o'r bron cefais fy nhrechu yn y bleidlais, a dilyn y dyrfa i Ynys y Barri fu raid. Dw i heb fod 'nôl.

Un o'r rhesymau pam fod y bleidlais mor gyson oedd fod y rhan fwyaf o'r plant eraill yn cael mynd ar dripiau gyda gwahanol glybiau'r pentre: y Clwb Mawr, Clwb y Boblen, y Social a'r Uplands. Byddai'r tripiau hyn i gyd yn mynd, ar y Sul, i Borthcawl, ond chefais i, mab y Mans, byth wahoddiad i ymuno â'r un ohonynt.

Mae'n debyg mai i Landudno yr âi llawer o dripiau ysgolion Sul y gogledd. Pan aem ninnau, yn blant, i aros gyda theulu fy nhad yn Llansannan, yno yr aem ninnau hefyd. Ro'n i wrth fy modd yn cerdded y pier – byddai fel cerdded ar y dŵr. Ches i erioed fynd ar y ceir cebl yn Happy Valley, gan fod gormod o ofn ar fy mam, ond maen nhw'n dal i fod yn atyniad – gweler yr Iddewon yn y llun sydd wedi dod o hyd i ffordd newydd o gyrraedd pen y mynydd....

Rwy'n hoff iawn o fynd i Dalacharn adeg llanw mawr. Yn ddieithriad, bydd rhyw ymwelydd anwybodus wedi gadael ei gar yn y maes parcio. Cwyd y dŵr yn frawychus o gyflym drosto gan ei droi'n bwll nofio carthffosaidd annymunol. Ar ddiwrnod braf bydd y bobl leol yn tyrru o'r ddwy dafarn gyfagos i weld y llanast ac i chwerthin am ben y twristiaid di-glem oedd yn rhy brysur yn chwilio am ysbryd Dylan i ddarllen yr arwyddion o rybudd. BMWs yw'r ceir 'gorau' mae'n debyg, gan fod y larwm a'r indicators yn dal i weithio o dan ddŵr! Bydd y chwerthin yn para tra bo'r dŵr yn para, a phob un â'i stori am ddigwyddiadau tebyg o'r gorffennol – oedd lawer iawn gwaeth, wrth gwrs. Pan ddychwela'r gyrrwr druan yn ôl i'w gar Caniwt, bydd y chwerthin a'r tynnu coes yn cynyddu, ond bydd pawb hefyd yn fwy na pharod i'w helpu i achub y car o'r dŵr. A dyna bennod nesaf yr hanes yn barod i'w adrodd!

Yn Siop Lyfrau Talacharn, y stoc sy'n cadw'r siop rhag dymchwel – yn llythrennol felly! Yno, tra'n gwarchod rhag i ddarnau o blastar ddisgyn am fy mhen, y darllenais y frawddeg hon mewn hen lyfr: 'Within living memory, sheep grazed on Tusker Rock'. Nid mwyach – gweler y llun ar dudalen 101.

Happy Valley, Pen y Gogarth

'A Present from Carnavon'

Sospan-dau

West Blockhouse, Penrhyn Santes Ann, sir Benfro

Am rai hafau ar ddiwedd y 1990au, treuliais sawl penwythnos ynghanol cwmni difyr ar draeth Rotherslade – nid Langland, sylwer! – ar Benrhyn Gŵyr. Roedd trefn bendant i ddiwrnod braf: mynd i lawr i'r traeth yn gynnar i osod tywelion a tharpaulin er mwyn cadw lle rhag ofn i ryw ddieithryn ddwyn 'sbot' y teulu. Yna adre i gyflawni gorchwylion y bore – garddio, siopa, glanhau – cyn paratoi tua chanol dydd ar gyfer Operation Desert Storm: llwytho llond y car o fwyd, diod, cadeiriau, clustogau, bagiau, tywelion, fflasgiau, llyfrau, yr Evening Post hollbwysig ac unrhyw beth arall anhepgor ar gyfer prynhawn o lolian.

Un gatrawd o fyddin debyg o bobl leol oedd fy nghyfeillion i; ymunai sawl criw arall, wedi bod drwy'r union baratoadau â ni, a phob un yn hawlio'r un diriogaeth benodol ar y traeth bob tro. Roedd pawb yno'n nabod ei gilydd naill ai fel trigolion neu fel ymwelwyr fyddai'n dychwelyd flwyddyn ar ôl blwyddyn i'w cyfarch fel gwenoliaid cyfeillgar. Ond ambell dro, doi newydd-ddyfodiaid – y cogiau ymwthiol hynny oedd yn credu'n naîf bod hawl gan bawb fynd i'r traeth. Yna byddai'r sibrwd a'r holi'n dechrau, 'Pwy y'n nhw?'. Gwae neb a fentrai eistedd mewn llecyn oedd yn 'eiddo' i rywun arall; caent wybod yn ddigon plaen mai lle hwn-a-hwn oedd fan'no. Ar wal amddiffyn cefn y traeth, roedd rhyw artist graffiti wedi ysgrifennu mewn llythrennau breision gwyrdd, 'NO CWMMERS'.

Adeg llanw mawr, fyddai'n digwydd yno rhwng pump ac wyth yr hwyr, byddai'r hen lawiau'n tynnu llinell yn y tywod. 'Mae'r Evening Post yn dweud taw i fan hyn y daw'r dŵr heno.' Yna eisteddai'r dynion yn ddyffeiol y tu ôl i'w llinellau, gyda'u papur newyddion, gan herio'r tonnau i brofi'r Post yn gywir – am unwaith!

Deuthum o hyd i lawer o lecynnau newydd (i mi) ar y teithiau o gwmpas glan môr Cymru – mae Aberdesach yn un – ond ni fu modd cynnwys pob llun heb sôn am enwi pob lle. Un enw sydd yn werth ei grybwyll yw Sospan Dau, enw'r garthlong sy'n dod â thywod i Borth Tywyn. Er mor ddifyr yw'r enw, roedd hi'n anodd cyfleu hynny mewn llun diddorol, ond roedd yn rhaid dod o hyd i gornel fechan ar ei chyfer, serch hynny. Llong arall y mae'n rhaid ei chrybwyll yw 'A Present from CARNAVON', na fu ar fôr erioed. O dŷ fy nain yn Llansannan y daeth, ond cynnyrch y môr ydyw heb os – cregyn yw'r corff a'r hwyl. Er bod sillafu pobl Caernarfon wedi gwella ers hynny, dwn i ddim am chwaeth eu cynllunwyr tref, fel y dengys y llun o'r gaer newydd sy'n codi yn Arfon ar hyn o bryd!

Byddwn yn dychwelyd fwy nag unwaith i ambell le – dyna oedd hanes Aberdaugleddau, porthladd prysuraf Cymru. Ers cychwyn ar y gwaith o wneud delweddau ar gyfer y llyfr hwn, adeiladwyd piben enfawr ar draws de Cymru i gludo nwy hylif; bu'r pibellwyr, a'u cerbydau Land and Marine, yn bresenoldeb cyson wrth i'r bibell gordeddu'i ffordd ar hyd y wlad. Ro'n i wedi gobeithio y byddai tanceri wedi dechrau dadlwytho'r nwy hylif yn y cei newydd a adeiladwyd yn Aberdaugleddau – llongau newydd sbon sy'n rhyw danceri gwennol rhwng Cymru a'r Gwlff yn gwneud dim ond cludo nwy. Y lle gorau i weld y llongau'n mynd a dod yw ger ceg yr aber islaw Penrhyn Santes Ann, lle bu amddiffynwyr yn gwylio trafnidiaeth y môr ers canrifoedd.

Aberdesach

Sarn Gynfelyn

Mr D. C. Roberts

Math arall o wyliwr – a math arall o elyn hefyd – oedd yng Nghantre'r Gwaelod. Erys olion o'r tir a foddwyd ym Mae Ceredigion o hyd a cheisiais ddod o hyd i fforestydd y Borth, fel ym Marros. Un nodwedd unigryw yma yw'r sarnau – a Sarn Gynfelyn yn arbennig – sy'n arwain yn llwybraidd i ganol Môr Iwerddon. Rwy wedi bod yn chwilio am Gantre'r Gwaelod ers ugain mlynedd ac er mor ffansïol fyddai meddwl mai waliau'r hen gantref yw'r sarnau, dal i chwilio am dir Gwyddno Garanhir, a foddwyd drwy esgeulustod Seithennyn, fydd raid.

Prin oedd y bobl a dorrai ar fy nhraws er gwaetha'r ffaith bod y camera'n tynnu llawer o sylw; byddai ambell un yn holi pam bod rhywun yn mynnu defnyddio camera mor hynafol yr olwg yn yr oes ddigidol hon. Gallwn ddianc o dan y llen ddu gan amlaf a chogio byddardod, ond daeth un gŵr i siarad â mi sy'n haeddu cael ei lun yn y llyfr, a Mr Dafydd Roberts yw hwnnw. Flwyddyn ar ôl i mi ennill Medal Aur am Gelfyddyd Gain yn Eisteddfod Genedlaethol Abertawe, a'r diwrnod ar ôl i mi gael fy nerbyn i'r Orsedd yn sgil y gamp honno, ro'n i ym Maes-glas ar Lannau Dyfrdwy. Wrth sgwrsio â Mr Roberts, datgelodd mai ef oedd wedi ennill yr un fedal yn 1955. Weithiau, trwy gydamseredd y mae'r lluniau gorau'n digwydd.